Savoir préparer

LES VOLAILLES
Nouvelles recettes

Savoir préparer
LES VOLAILLES
Nouvelles recettes

Recettes : PATRICE DARD

Photos : JEAN-FRANÇOIS AMANN

Idées Recettes

Créalivres
Comptoir du Livre
3/5, rue de Nesle, 75006 PARIS

Recettes : PATRICE DARD
Photographies : JEAN-FRANÇOIS AMANN

Imprimé en Italie

N° ISBN pour le présent volume : 2-86721-243-X

Dépôt légal : Paris, 1er trimestre 1991

Diffusion exclusive en France :
Comptoir du Livre à Paris

Diffusion exclusive en Belgique pour la langue française :
Daphné Diffusion à Gent

Index alphabétique des recettes

1. Ailerons de poulet à l'ail 29
2. Cailles au riz épicé 75
3. Cailles au vin rouge 73
4. Canard à l'orange 79
5. Canard au cidre 77
6. Civet de canard 81
7. Confit de lapereau 89
8. Coq au Sauternes 49
9. Coquelets aux olives 47
10. Coquilles de dinde 65
11. Croquettes de poulet 43
12. Cuisses de dinde au fromage blanc 59
13. Cuisses de lapin rôties 85
14. Cuisses de poulet au concombre 25
15. Cuisses de poulet en friture 27
16. Dinde de Noël 57
17. Escalopes de poulet au fenouil 33
18. Filets de dinde au bacon 61
19. Filets de dinde Maryland 63
20. Filets de poulet aux germes de soja 31
21. Flans de lapin 87
22. Foies de volaille aux poivrons 53
23. Fricassée de poulet 19
24. Gâteaux de foies de volaille 55
25. Hamburgers de poulet 41
26. Lapin en terrine 91
27. Mousseline de poulet 45
28. Paupiettes de poulet 37
29. Pintade à la crème et aux raisins 71
30. Pintade au chou 69
31. Poule farcie 51
32. Poulet à l'ananas 23
33. Poulet à l'estragon 15
34. Poulet au fromage 21
35. Poulet au sel 11
36. Poulet aux petits pois 13
37. Poulet Marengo 17
38. Rillettes de canard aux cèpes 83
39. Soupe chinoise au poulet 39
40. Suprêmes de poulet 35
41. Tarte à la dinde 67

INTRODUCTION

Depuis la sortie de notre premier tome consacré aux volailles, près de huit années se sont écoulées.

Si le succès de cet ouvrage ne s'est jamais démenti, une nouvelle gamme de produits "volaillers" est apparue sur le marché. En effet, si l'on trouve toujours poulets, poules, coquelets, canards, dindes et cailles, pintades et lapins en quantité dans tous les rayons des bouchers et volaillers ou dans ceux des super et hyper marchés, de nombreuses découpes ont vu le jour.

Filets, escalopes, cuisses, ailes, ailerons, tournedos et rôtis de volaille, prêts à cuire, ne réclamant aucun travail préparatoire, se bousculent à la porte de nos cuisines.

Dans ce volume consacré aux VOLAILLES "Nouvelles Recettes", la part belle a été faite aux recettes élaborées à partir de ces produits aussi délicieux que ceux de naguère et tellement plus commodes à cuisiner.

Rassurez-vous cependant : la tradition et le bon goût bien de chez nous, que notre collection défend depuis si longtemps, n'ont pas été oubliés.

Loin s'en faut ! Et la gourmandise est au rendez-vous...

Préchauffez le four à 240° (th – 8).

Tapissez le fond d'une cocotte d'une feuille de papier d'aluminium.

Versez une bonne couche de gros sel.

Disposez le poulet bien poivré par-dessus. Couvrez complètement de gros sel. Ajoutez une feuille de papier d'aluminium pour bien envelopper le tout.

Enfournez pour 1 h 15 mn.

Cassez la coque de sel pour dégager le poulet qui doit être à ce moment parfaitement cuit et doré à souhait.

Découpez et servez aussitôt cette chair tendre, juteuse et savoureuse.

Il est possible, au goût de chacun, de farcir le poulet, avant cuisson, d'herbes aromatiques fraîches.

POULET AU SEL

Pour 5 personnes :
Préparation : 5 mn
Cuisson : 1 h 15 mn
Ingrédients :
1 beau poulet
4 kg de gros sel
poivre du moulin

Le poulet au sel : recette très simple à réaliser en 1 h 20 mn.

Dans une cocotte, faites chauffer l'huile.

Mettez à revenir les lardons et les oignons finement émincés. Ajoutez le poulet. Faites-le dorer sur toutes ses faces.

Versez l'eau et le sucre en poudre. Salez, poivrez et saupoudrez d'une pincée de muscade râpée.

Couvrez la cocotte et faites cuire à feu doux pendant 15 mn.

Ajoutez alors les petits pois et poursuivez la cuisson 30 nouvelles minutes.

Découpez le poulet et servez-le entouré des petits pois. Proposez la sauce avec oignons et lardons à part dans une saucière. Dégustez sans attendre.

POULET AUX PETITS POIS

Pour 5 personnes :
Préparation : 10 mn
Cuisson : 45 mn
Ingrédients :
1 beau poulet
1 cuiller à soupe d'huile
50 g de lardons fumés
500 g de petits pois frais écossés (ou surgelés)
2 oignons
1 cuiller à café de sucre en poudre
sel, poivre, muscade râpée
3 verres d'eau

Le poulet aux petits pois : recette simple à réaliser en 55 mn.

Faites tremper la mie de pain dans le lait. Pressez-la et mettez-la dans un bol.

Ajoutez l'œuf, le foie haché du poulet, l'estragon haché, du sel et du poivre.

Farcissez le poulet avec cette préparation.

Faites chauffer huile et beurre dans une cocotte. Mettez le poulet à dorer sur toutes ses faces. Couvrez la cocotte et laissez cuire 45 mn à feu très doux.

Déglacez la sauce avec la crème fraîche. Découpez le poulet.

Servez-le nappé avec la sauce. Donnez une cuillerée de farce à chacun. Parsemez de feuilles d'estragon frais et savourez immédiatement.

Un plat succulent classiquement proposé avec du riz en accompagnement mais qui se révèlera tout aussi délectable avec des pâtes fraîches.

POULET A L'ESTRAGON

Pour 5 personnes :
Préparation : 15 mn
Cuisson : 45 mn
Ingrédients :
1 beau poulet
2 cuillers à soupe d'huile
30 g de beurre
12 feuilles d'estragon frais
100 g de mie de pain
1 verre de lait, 1 œuf
le foie du poulet
1 cuiller à soupe d'estragon haché
10 cl de crème fraîche, sel et poivre

Le poulet à l'estragon : recette simple à réaliser en 1 heure.

Découpez le poulet. Faites-en revenir les morceaux dans une cocotte avec l'huile d'olive et le beurre.

Ajoutez l'oignon finement émincé.

Quand les morceaux de poulet sont bien dorés, saupoudrez de farine. Remuez. Mouillez avec le bouillon.

Ajoutez le madère, les champignons en lamelles, le coulis de tomate, le jus de citron ou de mandarines (c'est affaire de goût) et le bouquet garni. Salez et poivrez au Cayenne.

Couvrez et laissez cuire 35 mn à feu doux. 5 mn avant la fin, retirez le bouquet garni, ajoutez le persil haché, découvrez la cocotte et montez le feu pour réduire la sauce.

Sauvourez aussitôt avec un riz basmati ou thaïlandais bien parfumé.

POULET MARENGO

Pour 5 personnes :
Préparation : 15 mn
Cuisson : 35 mn
Ingrédients :
1 beau poulet
2 cuillers à soupe d'huile d'olive
30 g de beurre, 1 oignon, 20 g de farine
1 verre de bouillon de volaille (10 cl)
1 verre à liqueur de madère (5 cl)
150 g de champignons de Paris
3 cuillers à soupe de coulis de tomate
le jus de 1 citron (ou de 2 mandarines)
1 bouquet garni
1 cuiller à soupe de persil haché
sel et poivre de Cayenne

Le poulet Marengo : recette simple à réaliser en 50 mn.

Découpez le poulet. Faites-en revenir les morceaux dans une cocotte avec le beurre. Ajoutez les lardons.

Quand les morceaux de poulet sont bien dorés, saupoudrez de farine. Remuez.

Mouillez avec le vin blanc sec et la moitié de la crème. Ajoutez les échalotes finement hachées, la ciboulette, sel et poivre.

Laissez cuire 30 mn à feu doux, cocotte couverte. A ce moment, incorporez le reste de la crème battue avec le jaune d'œuf. Remuez bien.

Savourez au plus vite, avec des brocolis à la vapeur et du riz à l'indienne.

FRICASSEE DE POULET

Pour 5 personnes :
Préparation : 15 mn
Cuisson : 30 mn
Ingrédients :
1 beau poulet
50 g de beurre
150 g de lardons non fumés
20 g de farine (1 bonne cuiller à soupe)
1 verre de vin blanc (10 cl)
15 cl de crème fraîche
2 échalotes
1 cuiller à soupe de ciboulette ciselée
sel et poivre, 1 jaune d'œuf

La fricassée de poulet : recette simple à réaliser en 45 mn.

Découpez le poulet. Faites-en revenir les morceaux dans une cocotte avec l'huile. Saupoudrez de farine. Remuez.

Mouillez avec le vin blanc sec. Ajoutez la moutarde. Salez, poivrez.

Couvrez la cocotte et laissez cuire 30 mn à feu doux. 5 mn avant la fin, découvrez la casserole pour réduire la sauce et ajoutez le fromage râpé.

Remuez bien jusqu'à fusion du fromage.

Servez aussitôt avec des tagliatelle vertes et régalez-vous de ce plat succulent et peu connu.

POULET AU FROMAGE

Pour 5 personnes :
Préparation : 15 mn
Cuisson : 30 mn
Ingrédients :
1 beau poulet
3 cuillers à soupe d'huile
20 g de farine (1 bonne cuiller à soupe)
2 verres de vin blanc sec (20 cl)
2 cuillers à soupe de moutarde forte
150 g de gruyère râpé
sel et poivre

Le poulet au fromage : recette simple à réaliser en 45 mn.

Découpez le poulet.

Dans un plat, mélangez la moitié de l'huile, le jus de citron, sel et poivre.

Ajoutez les morceaux de poulet et laissez mariner 1 heure en remuant souvent.

Préchauffez alors le four à 210° (th – 7).

Epluchez l'ananas et passez-en la chair au mixeur pour le réduire en purée.

Dans une cocotte, faites chauffer le reste de l'huile et revenir les morceaux de poulet. Versez le rhum et flambez.

Ajoutez les tomates coupées en tranches, l'oignon émincé et la purée d'ananas. Salez et poivrez.

Couvrez la cocotte et mettez-la au four pour 40 mn.

D'inspiration asiatique, ce plat de très subtile saveur s'accompagnera à l'évidence d'un plat de riz nature ou sauté.

POULET A L'ANANAS

Pour 5 personnes :
Préparation : 20 mn
Marinade : 1 heure
Cuisson : 40 mn
Ingrédients :
1 beau poulet
1 verre d'huile (10 cl)
1 ananas
1 verre à liqueur de rhum (5 cl)
3 tomates
1 oignon
le jus de 1 citron
sel et poivre

Le poulet à l'ananas : recette simple à réaliser en 1 heure.

Dans une cocotte avec le beurre, faites revenir les cuisses de poulet.

Quand elles sont bien dorées, ajoutez l'oignon haché, le concombre en rondelles de 1/2 cm d'épaisseur, le contenu de la boîte de tomate et le bouillon dans lequel vous aurez délayé la maïzena. Ajoutez ail haché, thym, persil, sel et poivre.

Couvrez la cocotte et laissez cuire 30 mn à feu doux.

Retirez le morceaux de poulet et dressez-les sur un plat de service chaud.

Découvrez la cocotte, montez le feu et faites réduire la sauce pendant 5 mn.

Servez les cuisses entourées des concombres et des tomates et nappées de la sauce. Savourez sans délais.

CUISSES DE POULET AU CONCOMBRE

Pour 6 personnes :
Préparation : 15 mn
Cuisson : 35 mn
Ingrédients :
6 cuisses de poulet, 30 g de beurre
1 oignon, 1 concombre
1 boîte de tomates entières
1 verre de bouillon de volaille (10 cl)
1 cuiller à soupe de maïzena
3 gousses d'ail
1 cuiller à café de thym haché
1 cuiller à soupe de persil haché
sel et poivre

Les cuisses de poulet au concombre : recette simple à réaliser en 50 mn.

Retirez la peau des cuisses de poulet. Salez-les et poivrez les au Cayenne.

Roulez-les dans la farine pour les enrober uniformément Trempez-les ensuite dans le mélange crème et œufs battus Passez-les enfin dans la chapelure.

Faites chauffer l'huile de friture et plongez-y les cuisses de poulet. Laissez-les cuire 10 mn.

Egouttez-les sur du papier absorbant et dégustez accompagnées d'une bonne salade verte soit avec une sauce tartare, soit simplement avec de la moutarde délayée dans un peu de sauce soja.

CUISSES DE POULET EN FRITURE

Pour 4 personnes :
Préparation : 15 mn
Cuisson : 10 mn
Ingrédients :
4 cuisses de poulet
1 soucoupe de farine
2 œufs
3 cuillers à soupe de crème fraîche (50 g)
1 soucoupe de chapelure
sel et poivre de Cayenne
huile de friture

Les cuisses de poulet en friture : recette simple à réaliser en 25 mn.

Dans une casserole, mélangez miel, ail haché très finement, sauce soja, huile, bouillon, maïzena délayée dans le jus de citron, ciboulette, gingembre, sel et poivre.

Portez à ébullition et laissez bouillonner 3 mn. Versez dans un plat allant au four et ajoutez les ailerons de poulet.

Laissez mariner 1 heure en retournant souvent les ailerons.

Préchauffez le four à 210° (th – 7).

Videz la marinade dans un bol.

Enfournez les ailerons pour 15 mn. Badigeonnez-les souvent de marinade tout au long de la cuisson.

Dégustez aussitôt avec comme accompagnement du riz, de la semoule de couscous ou mieux encore, de la polenta.

AILERONS DE POULET A L'AIL

Pour 4 personnes :
Préparation : 10 mn
Marinade : 1 heure
Cuisson : 18 mn
Ingrédients :
8 ailerons de poulet
3 cuillers à soupe de miel, 4 gousses d'ail
2 cuillers à soupe de sauce soja, 2 cuillers à soupe d'huile
1 verre de bouillon de volaille (10 cl)
1 cuiller à café de maïzena
le jus de 1/2 citron
1 cuiller à soupe de ciboulette hachée
2 pincées de gingembre en poudre, sel et poivre

Les ailerons de poulet à l'ail : recette simple à réaliser en 28 mn.

Emincez les filets de poulet en fines escalopes.

Dans l'huile, en cocotte, faites-les dorer quelques instants. Retirez-les. Mettez de côté.

Ajoutez l'oignon et le céleri finement émincés. Saupoudrez de farine. Mouillez avec le bouillon. Remuez. Laissez bouillonner 5 mn.

Dans le même temps, pochez les germes de soja dans de l'eau bouillante salée. Egouttez-les.

A la sauce, dans la cocotte, ajoutez la sauce soja et la crème. Salez et poivrez. Laissez réduire 10 mn.

Ajoutez alors les lamelles de poulet et les germes de soja. Réduisez à feu très doux et réchauffez le tout 5 mn.

Savourez immédiatement tel quel ou accompagné d'un plat d'épinards frais.

FILETS DE POULET AUX GERMES DE SOJA

Pour 4 personnes :
Préparation : 20 mn
Cuisson : 20 mn
Ingrédients :
400 g de filets de poulet
2 cuillers à soupe d'huile
1 oignon
2 branches de céleri
15 g de farine (1 cuiller à soupe rase)
2 verres de bouillon de volaille (20 cl)
300 g de germes de soja
2 cuillers à soupe de sauce soja
2 cuillers à soupe de crème, sel et poivre

Les filets de poulet aux germes de soja : recette simple à réaliser en 40 mn.

Salez et poivrez les escalopes de poulet.

Dans une cocotte, faites fondre le beurre. Mettez-y les escalopes de poulet à dorer.

Ajoutez alors le fenouil finement émincé, les champignons en lamelles et le concentré de tomate. Saupoudrez de farine. Mouillez avec le bouillon. Salez et poivrez légèrement. Remuez.

Laissez cuire 15 mn à feu très doux.

Régalez-vous très vite de ce plat que l'on accompagnera de pâtes fraîches ou d'un gratin de macaronis.

ESCALOPES DE POULET AU FENOUIL

Pour 6 personnes :
Préparation : 10 mn
Cuisson : 15 mn
Ingrédients :
6 escalopes de poulet
40 g de beurre, 1 bulbe de fenouil
250 g de champignons de Paris
1 cuiller à soupe de concentré de tomate
30 g de farine (2 cuillers à soupe rase)
2 verres de bouillon de volaille (20 cl)
sel et poivre

Les escalopes de poulet au fenouil : recette simple à réaliser en 25 cm.

Dans une cocotte, avec le beurre et l'huile, faites dorer les filets de poulet. Salez et poivrez. Laissez cuire à couvert et à feu doux pendant 10 mn.

Retirez alors les filets de poulet. Réservez.

Dans la cocotte, verser le concentré de tomate, le champagne, le bouillon et la maïzena délayée dans la crème fraîche. Mélangez bien. Laissez cuire 5 mn à feu doux et à couvert, puis 5 mn encore à découvert et à feu plus vif pour réduire la sauce.

Remettez les filets de poulet. Parsemez de parmesan et faites mijoter 3 mn à feu doux.

Servez immédiatement et dégustez avec des brocolis à la vapeur.

Pour un jour de fête, on peut ajouter une petite boîte de pelures de truffe à la sauce.

SUPREMES DE POULET

Pour 4 personnes :
Préparation : 5 mn
Cuisson : 23 mn
Ingrédients :
4 filets de poulet
30 g de beurre
1 cuiller à soupe d'huile
1 cuiller à soupe de concentré de tomate
1 verre de champagne ou de vin blanc (10 cl)
1 verre de bouillon de volaille (10 cl)
1 cuiller à café de maïzena
10 cl de crème fraîche
1 cuiller à soupe de parmesan râpé
sel et poivre

Les suprêmes de poulet : recette simple à réaliser en 28 mn.

Aplatissez les filets de poulet pour les rendre les plus minces possible.

Dans une casserole avec la moitié du beurre, faites revenir le lard, l'oignon et les champignons finement hachés, la mie de pain imbibée de cognac et le persil. Salez et poivrez. Laissez cuire 3 mn.

Etalez les filets de poulet. Garnissez-en le centre d'une cuillerée de farce. Roulez et ficelez pour former 4 paupiettes.

Dans une cocotte, faites fondre le reste du beurre. Faites dorer les paupiettes de poulet. Mouillez avec le bouillon. Salez et poivrez.

Couvrez et laissez cuire 30 mn à feu très doux.

Otez les ficelles et dégustez au plus vite avec des haricots verts en accompagnement.

PAUPIETTES DE POULET

Pour 4 personnes :
Préparation : 20 mn
Cuisson : 23 mn
Ingrédients :
4 filets de poulet
60 g de beurre, 60 g de lard fumé
1 oignon
100 g de champignons de Paris
50 g de mie de pain
1 cuiller à soupe de cognac
1 cuiller à soupe de persil haché
1 verre de bouillon de volaille (10 cl)
sel et poivre

Les paupiettes de poulet : recette assez simple à réaliser en 43 mn.

Coupez les filets de poulet en fines lanières.

Battez les blancs d'œufs avec la maïzena.

Emincez les champignons de Paris et les champignons noirs chinois, ainsi que les oignons verts.

Dans une casserole, portez le bouillon de volaille à ébullition.

Incorporez filets de poulet en lanières, blancs d'œufs, champignons de Paris et champignons noirs, oignons verts, ciboulette. Salez, poivrez et saupoudrez d'un peu de gingembre. Laissez cuire 5 mn à petits frémissements.

Servez très chaude cette soupe dans des bols. Parsemez de feuilles de coriandre fraîche.

Arrosez éventuellement d'un trait d'huile de sésame et savourez immédiatement.

SOUPE CHINOISE AU POULET

Pour 4 personnes :
Préparation : 20 mn
Cuisson : 5 mn
Ingrédients :
300 g de filets de poulet
2 blancs d'œufs, 2 cuillers à café de maïzena
100 g de champignons de Paris
20 g de champignons noirs chinois trempés 1 heure
2 petits oignons verts
1 cuiller à soupe de ciboulette hachée
1 l de bouillon de volaille
sel, poivre et gingembre en poudre
feuilles de coriandre fraîche
huile de sésame (facultatif)

La soupe chinoise au poulet : recette simple à réaliser en 25 mn.

Hachez la chair des filets de poulet au mixeur. Partagez-la en deux et formez deux steaks de forme ronde.

Découpez la tomate en rondelles.

Dans une poêle, faites chauffer le beurre et mettez à cuire les steak hachés de poulet 6 mn sur chaque face. Salez et poivrez.

Faites revenir aussi les rondelles de tomate quelques instants.

Coupez les petits pains en deux et passez ces demi-pains au grille-pain.

Disposez sur deux demi-pains grillés deux feuilles de salade, 1 rondelle de tomate, un peu de sauce tartare, un steak haché de poulet, une nouvelle rondelle de tomate, un peu de sauce tartare et recouvrez avec les deux demi-pains restants.

Savourez au plus vite avec comme il se doit de bonnes frites bien croustillantes... et un coke très frais.

HAMBURGERS DE POULET

Pour 2 personnes :
Préparation : 5 mn
Cuisson : 17 mn
Ingrédients :
300 g de filets de poulet
30 g de beurre
1 tomate
quelques feuilles de laitue
sauce tartare
sel et poivre
2 petits pains à hamburger au sésame

Les hamburgers de poulet : recette simple à réaliser en 22 mn.

Hachez la chair des filets de poulet au mixeur.

Dans une poêle, faites chauffer le beurre et mettez à revenir les échalotes hachées finement, les champignons hachés tout aussi finement et la chair de poulet pendant 3 mn. Salez, poivrez et muscadez.

Hors du feu, ajoutez la béchamel. Laissez reposer au moins 3 heures au frais.

Formez alors des boulettes de la taille d'une grosse noix. Passez-les d'abord dans la farine, puis dans l'œuf battu et enfin dans la chapelure.

Faites chauffer l'huile de friture et faites cuire ces croquettes jusqu'à ce qu'elles soient bien dorées, soit environ 4 mn.

Egouttez-les sur un papier absorbant et dégustez-les sans attendre avec une salade verte bien relevée en assaisonnement.

CROQUETTES DE POULET

Pour 6 personnes :
Préparation : 25 mn
Repos : 3 heures
Cuisson : 7 mn
Ingrédients :
500 g de filets de poulet
40 g de beurre, 2 échalotes
150 g de champignons de Paris
250 g de béchamel
1 soucoupe de farine
2 œufs
1 soucoupe de chapelure
sel, poivre et muscade râpée
huile de friture

Les croquettes de poulet : recette simple à réaliser en 32 mn.

Hachez finement la chair des filets de poulet au mixeur.

Préparez une béchamel avec le beurre, la farine et le lait. Assaisonnez-la avec sel, poivre et muscade.

Préchauffez le four à 180° (th – 6).

Dans un saladier, mélangez le poulet haché, la béchamel refroidie, le vermouth, la crème fraîche, les jaunes d'œufs et le gruyère râpé. Ajoutez les blancs d'œufs battus en neige. Versez dans un moule à soufflé beurré.

Enfournez pour 45 mn au bain-marie.

Démoulez à chaud et dégustez immédiatement avec une sauce tomate ou une sauce Nantua (aux crustacés).

MOUSSELINE DE POULET

Pour 6 personnes :
Préparation : 20 mn
Cuisson : 45 mn
Ingrédients :
500 g de filets de poulet
75 g de beurre
60 g de farine, 1/2 l de lait
1 verre à liqueur de vermouth sec (Noilly Prat)
15 cl de crème fraîche
4 œufs, 2 blancs d'œufs
75 g de gruyère râpé
sel et poivre, muscade râpée

La mousseline de poulet : recette assez simple à réaliser en 1 h et 5 mn.

Partagez les coquelets en deux.

Dans une cocotte, faites chauffer l'huile d'olive et faites revenir les demi-coquelets.

Quand ils sont bien dorés, retirez-les et réservez-les au chaud.

A leur place, dans la cocotte, mettez les oignons verts hachés, l'ail écrasé, champignons et céleri émincés et faites sauter 5 mn.

Remettez alors les coquelets. Mouillez avec le vin blanc. Ajoutez tomates cerises et olives noires dénoyautées. Salez et poivrez.

Couvrez la cocotte et laissez cuire 15 mn à couvert puis 5 mn à découvert pour réduire la sauce.

Savourez immédiatement, nature ou accompagnés d'une ratatouille.

COQUELETS AUX OLIVES

Pour 6 personnes :
Préparation : 20 mn
Cuisson : 25 mn
Ingrédients :
3 coquelets
3 cuillers à soupe d'huile d'olive
6 petits oignons verts
3 gousses d'ail
200 g de petits champignons de Paris
1 branche de céleri
12 tomates cerises
200 g d'olives noires
1 verres de vin blanc sec (10 cl)
sel et poivre

Les coquelets aux olives : recette simple à réaliser en 45 mn.

Découpez le coq.

Dans une cocotte, faites fondre 50 g de beurre. Mettez les morceaux de coq à dorer.

Ajouter les échalotes hachées. Laissez roussir quelques minutes. Versez l'armagnac. Flambez. Mouillez avec le Sauternes. Salez et poivrez.

Couvrez la cocotte et laissez cuire 55 mn.

Retirez alors les morceaux de coq et dressez-les sur un plat de service chaud.

Dans la cocotte ajoutez la crème et le reste du beurre manié avec la farine.

Laissez réduire la sauce 5 mn et nappez-en aussitôt les morceaux de coq.

Savourez avec, selon votre goût, du riz, des pâtes fraîches ou des pommes de terre à la vapeur.

COQ AU SAUTERNES

Pour 6 personnes :
Préparation : 20 mn
Cuisson : 1 h
Ingrédients :
1 coq
75 g de beurre
2 échalotes
1 verre à liqueur d'armagnac ou de cognac (5 cl)
1/2 bouteille de Sauternes (vin blanc liquoreux)
10 cl de crème fraîche
20 g de farine (1 bonne cuiller à soupe)
sel et poivre

Le coq au Sauternes : recette simple à réaliser en 1 h 20 mn.

POULE FARCIE

Préparez une farce en hachant ensemble très finement : jambon blanc, jambon cru, lard frais. Ajoutez la mie de pain trempée dans le lait additionné du cognac, échalotes, persil et estragon hachés.

Salez, poivrez et liez le tout avec un œuf.

Farcissez l'intérieur de la poule avec cette préparation et cousez-la pour que la farce ne s'échappe pas durant la cuisson

Disposez la volaille dans un fait-tout. Couvrez-la d'eau salée, portez à ébullition et laissez cuire à petits frémissements pendant 1 h 30 mn.

Cette poule farcie se déguste soit avec du riz, soit accompagnée des légumes classiques d'un pot-au-feu : carottes, navets, chou, poireaux et pommes de terre.

Certain la savoure avec de la crème fraîche fouettée avec un bon vinaigre de vin.

POULE FARCIE

Pour 4 personnes :
Préparation : 20 mn
Cuisson : 1 h 30 mn
Ingrédients :
1 poule
1 tranche de jambon blanc
1 tranche de jambon cru
75 g de lard frais
150 g de mie de pain
1/2 verre de lait
1 cuiller à soupe de cognac
2 échalotes
1 cuiller à soupe de persil haché
1 cuiller à café d'estragon haché
1 œuf, sel et poivre

La poule farcie : recette simple à réaliser en 1 h 50 mn.

Dans une cocotte, faites chauffer 1 cuillerée d'huile et faites sauter les foies de volaille pendant 5 mn. Salez et poivrez.

Dans le même temps, dans une autre cocotte, avec l'autre cuillerée d'huile, faites revenir échalotes et ail hachés ainsi que les poivrons coupés en fines rondelles. Salez, poivrez

Versez les foies de volaille sur les poivrons et poursuivez la cuisson à feu très doux et à couvert pendant 5 mn encore.

Remuez et servez immédiatement.

Au moment de savourer, vous pouvez ajouter un filet d'huile d'olive et un peu de basilic ciselé.

FOIES DE VOLAILLE AUX POIVRONS

Pour 4 personnes :
Préparation : 10 mn
Cuisson : 10 mn
Ingrédients :
500 g de foies de volaille
2 cuillers à soupe d'huile
2 échalotes
2 gousses d'ail
1 poivron vert
1 poivron rouge
sel et poivre

Les foies de volaille aux poivrons : recette simple à réaliser en 20 mn.

Préchauffez le four à 210° (th – 7).

Passez au mixeur les foies de volaille et le lard pour les hacher finement.

Versez ce hachis dans un saladier.

Ajoutez oignon, ail et persil finement hachés aussi, la mie de pain, le beurre ramolli, la crème fraîche et les œufs un à un. Salez modérément à cause du lard, poivrez.

Remuez pour obtenir un mélange homogène.

Versez dans 6 ramequins individuels beurrés. Enfournez pour 20 mn au bain-marie.

Démoulez au sortir du four.

Ces gâteaux de foies de volaille se dégustent soit chauds avec une sauce tomate, soit froids accompagnés d'une salade de saison.

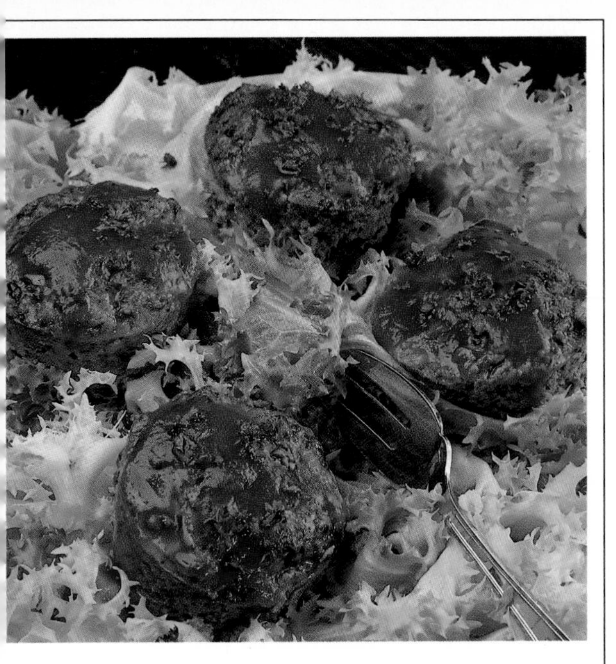

GATEAUX DE FOIES DE VOLAILLE

Pour 6 personnes :
Préparation : 15 mn
Cuisson : 25 mn
Ingrédients :
500 g de foies de volaille
200 g de lard
1 oignon
3 gousses d'ail
1 petit bouquet de persil
150 g de mie de pain trempée dans du lait et pressée
30 g de beurre ramolli
15 cl de crème fraîche, 3 œufs
sel et poivre

Les gâteaux de foies de volaille : recette simple à réaliser en 40 mn.

Préchauffez le four à 210° (th – 7).

Préparez un hachis avec le ris de veau, les jambons, la mousse de foie gras, le lard, les échalotes, le persil, du sel et du poivre.

Faites revenir ce hachis 15 mn dans le beurre. Laissez-le refroidir. Ajoutez les petits suisses et mélangez bien. Farcissez la dinde avec cette préparation.

Recousez l'arrière pour que la farce ne s'échappe pas durant la cuisson.

Entourez la dinde de barde de lard. Ficelez. Disposez-la dans un plat en terre. Versez un verre d'eau et enfournez pour 2 h 15 mn. Arrosez souvent en cours de cuisson. Rajoutez un peu d'eau au besoin.

Cette dinde de Noël se déguste bien sûr avec de nombreux légumes d'accompagnement dont les traditionnels marrons.

En déliant un peu plus encore votre bourse, vous pourrez ajouter une boîte de pelures de truffe à la farce. Ce n'est pas tous les jours Noël !

DINDE DE NOËL

Pour 10 personnes :
Préparation : 30 mn
Cuisson : 2 h 30 mn
. Ingrédients :
1 dinde de 3 kg environ
100 g de ris de veau
150 g de jambon blanc
100 g de jambon de Bayonne
100 g de mousse de foie gras
100 g de lard frais
4 échalotes
4 cuillers à soupe de persil haché
50 g de beurre
2 petits suisses
sel et poivre
1 barde de lard

La dinde de Noël : recette assez simple à réaliser en 3 heures.

Préchauffez le four à 210° (th – 7).

Dans un bol, mélangez fromage blanc, huile d'olive, basilic haché, sel, poivre et safran.

Salez et poivrez les cuisses de dinde. Enduisez-les copieusement de la préparation au fromage blanc. Disposez-les dans un plat huilé.

Couvrez d'un papier sulfurisé et enfournez pour 30 mn.

Dégustez très chaud avec un riz indien en accompagnement.

Cette très savoureuse recette s'apparente, dans son principe plus que dans ses saveurs, aux préparations indiennes appelées "tandoori".

CUISSES DE DINDE AU FROMAGE BLANC ET AU BASILIC

Pour 6 personnes :
Préparation : 10 mn
Cuisson : 30 mn
Ingrédients :
2 grosses cuisses de dinde
150 g de fromage blanc
2 cuillers à soupe d'huile d'olive
3 cuillers à soupe de basilic haché
sel et poivre
2 dosettes de safran

Les cuisses de dinde au fromage blanc et au basilic : recette simple à réaliser en 40 mn.

Découpez le bacon en grosses lanières. Faites-le sauter dans une poêle antiadhésive jusqu'à ce qu'il soit croustillant. Retirez-le.

Dans le gras rendu par le bacon, faites dorer les escalopes de dinde et laissez-les cuire 15 mn à feu très doux. Retirez-les.

Ajoutez olives et anchois grossièrement hachés, les câpres, le bacon, un peu de sel (attention au bacon !) et du poivre. Versez le vin blanc.

Laissez cuire encore 3 mn à feu doux, puis 5 nouvelles minutes à feu vif pour réduire la sauce.

Remettez les escalopes de dinde et poursuivez la cuisson 2 mn.

Saupoudrez de persil au moment de savourer.

FILETS DE DINDE AU BACON

Pour 4 personnes :
Préparation : 10 mn
Cuisson : 25 mn
Ingrédients :
500 g de filets de dinde en 4 escalopes
150 g de bacon
12 olives noires dénoyautées
4 filets d'anchois à l'huile
1 cuiller à soupe de câpres
1 grand verre de vin blanc (15 cl)
2 cuillers à soupe de persil haché
poivre

Les filets de dinde au bacon : recette simple à réaliser en 35 mn.

Salez et poivrez chaque escalope de dinde. Battez les œufs. Ecrasez les corn flakes pour les réduire en chapelure.

Passez successivement les escalopes de dinde dans la farine, puis l'œuf battu et la chapelure de corn flakes.

Dans une grande sauteuse, versez 1 cm d'huile. Faites-la chauffer très fort. Réduisez alors à un bon feu moyen.

Déposez les escalopes de dinde dans l'huile bien chaude et faites-les dorer 2 mn sur chaque face. Egouttez-les sur un papier absorbant.

Saupoudrez-les de ciboulette. Arrosez-les d'un filet de jus de citron et dégustez-les avec une sauce cocktail (mayonnaise au ketchup relevée d'un trait de tabasco).

Un régal. A l'américaine, certes, mais un régal quand même !

FILETS DE DINDE MARYLAND

Pour 6 personnes :
Préparation : 10 mn
Cuisson : 4 mn
Ingrédients :
12 petites escalopes de dinde de 75 g environ chacune
1 soucoupe de farine
2 œufs
1 bol de corn flakes
sel et poivre
huile
2 cuillers à soupe de ciboulette hachée, jus de citron
mayonnaise, ketchup, tabasco

Les filets de dinde Maryland : recette simple à préparer en 14 mn.

Préchauffez le four à 210° (th – 7).

Epluchez les légumes et taillez-les en julienne (en très fins bâtonnets). Emincez les filets de dinde en fines lanières.

Faites pocher les légumes 15 mn dans le bouillon frémissant. 5 mn avant la fin, ajoutez les lanières de dinde. Egouttez bien le tout.

Dans un saladier, mélangez légumes, dinde, béchamel, sel, poivre et muscade.

Répartissez cette préparation en 6 coquilles St-Jacques bien propres (à défaut, utilisez des petits plats à gratin individuels).

Parsemez de gruyère râpé et enfournez pour 10 mn.

Savourez bien dorées et gratinées ces coquilles dans lesquelles la dinde, l'une des chairs les plus avantageuse de la création remplace les St-Jacques comptant au contraire parmi les plus onéreuses.

COQUILLES DE DINDE

Pour 6 personnes :
Préparation : 20 mn
Cuisson : 25 mn
Ingrédients :
500 g de filets de dinde
1 branche de céleri
2 petites carottes
1 petit poireau
400 g de béchamel
150 g de gruyère râpé
1 litre de bouillon de volaille
sel, poivre, muscade râpée
cerfeuil

Les coquilles de dinde : recette simple à réaliser en 45 mn.

Découpez en fines lamelles les filets de dinde. Taillez en julienne (bâtonnets très fins) les poireaux et les carottes. Hachez grossièrement céleri et champignons.

Mélangez le tout. Salez et poivrez.

Faites revenir cette préparation 20 mn avec le beurre dans une cocotte à feu moyen.

Préchauffez le four à 210° (th – 7).

Incorporez la béchamel et la crème fraîche au mélange dinde / légumes. Remuez bien.

Versez dans un plat à gratin beurré. Etalez la pâte feuilletée par-dessus. Dorez-la avec l'œuf battu.

Enfournez pour 20 mn et savourez dès la sortie du four.

TARTE A LA DINDE

Pour 6 personnes :
Préparation : 15 mn
Cuisson : 40 mn
Ingrédients :
500 g de filets de dinde
2 poireaux
2 carottes
2 branches de céleri
250 g de champignons de Paris
30 g de beurre
250 g de béchamel
100 g de crème fraîche
200 g de pâte feuilletée
sel et poivre
1 œuf

La tarte à la dinde : recette simple à réaliser en 55 mn.

Préchauffez le four à 210° (th – 7).

Faites blanchir le chou émincé 5 mn à l'eau bouillante salée. Egouttez-le avec beaucoup de soin.

Dans une cocotte avec le beurre, faire dorer la pintade sur toutes ses faces. Retirez-la.

Tapissez le fond de la cocotte avec les tranches de lard. Etalez le chou. Disposez la pintade par-dessus. Salez, poivrez, sucrez et parsemez de quelques baies de genièvre. Arrosez d'un demi-verre d'eau.

Couvrez la cocotte et enfournez-la pour 50 mn.

Dégustez bien chaude cette pintade au chou, véritable compromis entre une volaille et un gibier.

PINTADE AU CHOU

Pour 3-4 personnes :
Préparation : 15 mn
Cuisson : 55 mn
Ingrédients :
1 pintade
40 g de beurre
1 petit chou (ou 1/2 gros chou)
3 tranches de lard fumé
2 cuillers à soupe de sucre en poudre
sel et poivre
quelques baies de genièvre

La pintade au chou : recette simple à réaliser en 1 h 10 mn.

Préchauffez le four à 210° (th – 7).

Farcissez l'intérieur de la pintade avec les raisins. Salez-la, poivrez-la et tartinez-la de beurre. Disposez-la dans un plat en terre.

Enfournez pour 20 mn.

Sortez alors la pintade. Découpez-la. Arrosez les morceaux de whisky chauffé et flambez.

Mélangez le jus de cuisson de la pintade avec la crème dans laquelle vous aurez délayée la maïzena.

Nappez les morceaux de pintade avec cette préparation.

Remettez au four pour 15 mn.

Dressez les morceaux de pintade sur les assiettes de service bien chaudes.

Faites réduire la sauce jusqu'à belle consistance onctueuse. Nappez-en les morceaux de pintade et régalez-vous au plus vite.

PINTADE A LA CREME ET AUX RAISINS

Pour 3-4 personnes :
Préparation : 15 mn
Cuisson : 35 mn
Ingrédients :
1 pintade
200 g de raisins frais
30 g de beurre
1 verre à liqueur de whisky (5 cl)
15 cl de crème fraîche
1 cuiller à soupe de maïzena
sel et poivre

La pintade à la crème et aux raisins : recette simple à réaliser en 50 mn.

Préchauffez le four à 210° (th – 7).

Faites chauffer 30 g de beurre dans une cocotte et mette
les cailles à dorer pendant 5 mn.

Ajoutez l’échalote hachée, les oignons grelots, les cham
pignons émincés et les lardons. Salez, poivrez.

Laissez cuire 3 mn. Saupoudrez avec les herbes. Arrose
avec le cognac et flambez.

Retirez les cailles.

Mouillez avec le vin rouge et le bouillon. Réduisez l
sauce à feu vif pendant 5 mn.

Remettez les cailles. Couvrez la cocotte et enfournez pou
15 mn.

Dressez les cailles sur un plat de service chaud.

Liez la sauce avec le reste du beurre (20 g) manié avec l
farine. Rectifiez l’assaisonnement et nappez sur les cailles

Régalez-vous sans attendre.

CAILLES AU VIN ROUGE

Pour 6 personnes :
Préparation : 20 mn
Cuisson : 28 mn
Ingrédients :
6 cailles bien dodues
50 g de beurre
1 échalote, 10 petits oignons grelots
100 g de champignons de Paris, 150 g de lardons
1 cuiller à café d'estragon haché
1 cuiller à soupe de persil haché, 2 pincées de thym
1 verre à liqueur de cognac (5 cl), 25 cl de vin rouge
1 verre de bouillon de volaille (10 cl)
20 g de farine (1 bonne cuiller à soupe)
sel et poivre

Les cailles au vin rouge : recette simple à réaliser en 48 mn.

Dans une casserole, versez 1,5 l d'eau. Ajoutez le cari e du sel, puis le riz. Portez à ébullition et laissez cuire 20 mn

Egouttez le riz. Ajoutez-lui les piments écrasés.

Préchauffez le four à 210° (th – 7).

Mélangez l'huile, l'ail haché, la sauce soja, du sel et d poivre. Versez dans un plat allant au four. Ajoutez le cailles. Enrobez-les de cette sauce.

Enfournez pour 20 mn en arrosant souvent avec la sauce 5 mn avant la fin de la cuisson des cailles, mettez le riz a four pour le réchauffer.

Servez les cailles sur un lit de riz aux épices. Nappez-le avec la sauce.

Parsemez de ciboulette et de poivre rose et dégustez immédiatement.

CAILLES AU RIZ EPICE

Pour 4 personnes :
Préparation : 20 mn
Cuisson : 40 mn
Ingrédients :
Pour le riz :
250 g de riz basmati
1 cuiller à soupe de cari
2 piments oiseaux, sel
Pour les cailles :
4 cailles
2 cuillers à soupe d'huile, 2 gousses d'ail
1 cuiller à soupe de sauce soja
1 cuiller à soupe de ciboulette hachée
1 cuiller à café de poivre rose
sel et poivre

Les cailles au riz épicé : recette simple à réaliser en 1 heure.

Dans une cocotte, faites dorer le canard sur toutes ses faces avec le beurre.

Versez le calvados préalablement chauffé dans une petite casserole. Flambez.

Ajoutez carotte et oignon émincés, ainsi que la chair de la pomme râpée. Versez le cidre. Ajoutez le bouquet garni. Salez et poivrez.

Faites cuire à feu doux et à découvert pendant 45 mn.

A ce moment, ajoutez la crème et montez le feu pour réduire la sauce jusqu'à ce qu'elle soit bien onctueuse, soit durant 15 mn environ.

Découpez le canard. Dressez-le sur un plat de service chaud.

Passez la sauce au chinois et nappez-en les morceaux de canard juste au moment de savourer.

CANARD AU CIDRE

Pour 5 personnes :
Préparation : 20 mn
Cuisson : 1 h
Ingrédients :
1 beau canard de barbarie
50 g de beurre
1 verre de calvados (10 cl)
1 carotte
1 oignon
1 pomme
1 bouteille de cidre fermier
1 bouquet garni
20 cl de crème fraîche
sel et poivre

Le canard au cidre : recette simple à réaliser en 1 heure 20 mn.

Préchauffez le four à 210° (th – 7).

Salez et poivrez le canard. Enduisez-le de beurre. Placez-le dans un plat en terre et enfournez-le pour 45 mn.

Au bout de 15 mn de cuisson, ajoutez le vin blanc.

Dans une casserole, versez le vinaigre. Ajoutez les sucres, le jus des oranges, le zeste finement râpé et faites réduire de moitié. 15 mn avant la fin de la cuisson du canard, versez cette préparation à l'orange sur le canard.

Cette savoureuse recette, bien que n'étant pas d'origine asiatique comme on pourrait le croire, mais bien française puisqu'on la préparait déjà sous Louis XIV, s'accompagne néanmoins parfaitement d'un excellent riz... thaïlandais, si parfumé !

CANARD A L'ORANGE

Pour 5 personnes :
Préparation : 20 mn
Cuisson : 45 mn
Ingrédients :
1 beau canard de barbarie
40 g de beurre
1 verre de vin blanc (10 cl)
4 cuillers à soupe de vinaigre de vin
2 morceaux de sucre
le jus de 2 oranges
le zeste de 1 orange
sel et poivre

Le canard à l'orange : recette simple à réaliser en 1 h 5 mn.

Découpez le canard en morceaux.

Dans une cocotte, faites revenir ces morceaux dans la graisse d'oie. Lorsqu'ils sont bien dorés, ajoutez les oignons et laissez-les blondir.

Videz alors la graisse. Versez le vin rouge. Salez et poivrez.

Couvrez la cocotte et laissez cuire 45 mn à feu doux.

Découvrez alors la cocotte et poursuivez la cuisson pendant 10 mn à feu plus vif pour réduire la sauce.

Ajoutez enfin le beurre manié avec la farine et faites cuire encore 5 mn à bon feu et à découvert.

Rectifiez l'assaisonnement au besoin.

Dégustez bien vite avec des pommes de terre à l'eau ou à la vapeur en accompagnement.

CIVET DE CANARD

Pour 5 personnes :
Préparation : 20 mn
Cuisson : 1 h
Ingrédients :
1 beau canard de barbarie
2 cuillers à soupe de graisse d'oie (ou de saindoux)
20 petits oignons grelots épluchés
1 bouteille de vin rouge corsé
30 g de beurre
20 g de farine (1 bonne cuiller à soupe)
sel et poivre

Le civet de canard : recette simple à réaliser en 1 h 20 mn.

Dans une cocotte, mettez le confit de canard sur feu très doux.

Sitôt que la graisse est fondue, retirez les morceaux de confit et désossez-les. Hachez-les grossièrement à l'aide d'une fourchette.

Coupez les cèpes en petits dés. Hachez l'ail.

Dans la cocotte remettez la chair de canard, les cèpes, l'ail, l'estragon, le cognac, le poivre vert, du sel et du poivre du moulin.

Remuez et laissez cuire 15 mn à feu doux dans la graisse rendue par le confit.

Versez les rillettes dans une terrine. Couvrez avec la graisse.

Réservez au frais au moins 2 jours avant de déguster avec des tranches de pain de campagne grillées.

Ces rillettes se conservent plusieurs jours au réfrigérateur.

RILLETTES DE CANARD AUX CEPES

Pour 6 personnes :
Préparation : 30 mn
Cuisson : 15 mn
Ingrédients :
400 g de confit de canard en pot
200 g de cèpes (ou autres champignons)
2 gousses d'ail
1 cuiller à soupe d'estragon haché
2 cuillers à soupe de cognac
1 cuiller à café de poivre vert
sel et poivre du moulin

Les rillettes de canard aux cèpes : recette simple à réaliser en 45 mn.

Préchauffez le four à 210° (th – 7).

Piquez les cuisses de lapin avec les lardons. Salez légèrement. Poivrez généreusement.

Enveloppez chaque cuisse d'un morceau de barde de lard.

Déposez les cuisses bardées dans un plat en terre beurré. Enfournez pour 20 mn.

Dégustez bien chaud, tout simplement avec des pommes de terre sautées ou frites et une bonne salade verte.

CUISSES DE LAPIN RÔTIES

Pour 6 personnes :
Préparation : 10 mn
Cuisson : 20 mn
Ingrédients :
6 cuisses de lapin
100 g de lardons
barde de lard
sel et poivre

Les cuisses de lapin rôties : recette très simple à réaliser en 30 mn.

Préchauffez le four à 180° (th – 6).

Hachez finement les champignons et faites-les revenir 5 mn dans le beurre.

Passez la chair de lapin au mixeur.

Dans un saladier, mélangez chair de lapin, champignons crème, paprika, persil, sel et poivre.

Ajoutez les œufs un à un. Mélangez avec soin pour obtenir une bonne homogénéité.

Répartissez cette préparation en 6 ramequins individuels beurrés.

Enfournez au bain-marie pour 20 mn.

Démoulez chauds et savourez avec un simple beurre fondu, salé, poivré, légèrement citronné et agrémenté de câpres et d'œufs de lompes rouges.

FLANS DE LAPIN

Pour 6 personnes :
Préparation : 15 mn
Cuisson : 30 mn
Ingrédients :
400 g de chair de lapin cru (dans le râble)
100 g de champignons de Paris
30 g de beurre
4 cuillers à soupe de crème fraîche
1 cuiller à café de paprika
1 cuiller à soupe de persil haché
3 œufs
sel et poivre

Les flans de lapin : recette simple à réaliser en 45 mn.

Découpez le lapereau en morceaux.

Dans un bol, mélangez thym, laurier, sel et poivre. Frottez chaque morceau de lapereau avec cette poudre.

Rangez les morceaux dans un plat. Posez une planchette par-dessus, lestée d'un gros poids.

Réservez ainsi 24 heures dans un endroit frais et recouvert d'un linge.

Le lendemain, faites fondre le saindoux dans une cocotte. Ajoutez les morceaux de lapereau.

Couvrez et laissez cuire 2 heures à feu très doux.

Retirez les morceaux de lapereau. Mettez-les dans des bocaux. Versez le saindoux par-dessus, fermez et conservez au frais pendant plusieurs jours si vous le souhaitez.

Mais vous pouvez aussi savourer ce confit de lapereau sur le champ, avec des pommes de terre sautées à l'ail, par exemple.

CONFIT DE LAPEREAU

Pour 6 personnes :
Préparation : 10 mn
Repos : 24 heures
Cuisson : 2 h
Ingrédients :
1 lapereau de 1,5 kg environ
2 cuillers à soupe de thym
2 feuilles de laurier émiettées
sel et poivre du moulin
500 g de saindoux

Le confit de lapereau : recette assez simple à réaliser en 2 h 10 mn.

Désossez le lapin.

Faites macérer les morceaux de chair dans le marc de Bourgogne pendant 24 heures.

Le lendemain, hachez la chair de lapin, ainsi que le foie du lapin, la noix de veau et la poitrine de porc. Mélangez bien.

A ce hachis, ajoutez les échalotes hachées, l'œuf, les quatre-épices, le thym, du sel et du poivre, ainsi que le jus de la marinade.

Préchauffez le four à 180° (th – 6).

Tapissez le fond d'une terrine de barde de lard. Versez le hachis. Tassez bien et rabattez la barde de lard par-dessus

Fermez la terrine hermétiquement, au besoin en la lutant c'est-à-dire en soudant les joints avec une pâte composée de farine et d'eau.

Enfournez au bain-marie pour 2 h 30 mn. En cours de cuisson, vérifiez qu'il y a toujours de l'eau dans le bain-marie. Rajoutez-en le cas échéant.

Cette sublime terrine ne se déguste qu'après deux ou trois jours de repos.

Un petit truc : durant le refroidissement de la terrine, mettez-la sous presse, c'est-à-dire que vous placerez dessus un carton de mêmes dimensions avec un poids dessus.

LAPIN EN TERRINE

Pour 10 personnes et plus...
Préparation : 30 mn
Marinade : 24 heures
Cuisson : 2 h 30 mn
Ingrédients :
1 gros lapin et son foie
1 verre de marc de Bourgogne (10 cl)
400 g de noix de veau
400 g de poitrine de porc
2 échalotes
1 œuf
1 cuiller à café de quatre-épices
1 cuiller à café de thym frais haché
sel et poivre
1 barde de lard

Le lapin en terrine : recette assez simple à réaliser en 3 heures.

Idées recettes

Savoir préparer

Les cocktails
Les cocktails exotiques
The american cocktails
Les buffets
Les terrines et pâtés
Les salades – nouvelles recettes
Les œufs
Les sauces
Les soupes et potages
Les coquillages et crustacés
Les poissons – nouvelles recettes
Les poissons de mer
Les poissons de rivières
Les légumes – nouvelles recettes
Les pâtes
Les viandes – nouvelles recettes
Les grillades et brochettes
Les volailles – nouvelles recettes
Les entrées – nouvelles recettes
Les fondues et raclettes
Les pommes de terre
Les champignons
Les tartes salées et sucrées
Les entremets
Les desserts
Les pâtisseries – nouvelles recettes
Les crêpes
La crème
Le chocolat
La cuisine aux micro-ondes
La cuisine pour maigrir
La cuisine à la vapeur
La cuisine pas chère
La cuisine à l'huile d'olive
Savoir déguster les fromages
Savoir déguster les vins
Une cocktail party